Maria van Eeden

Vleugeltjes

Tekeningen van Annemie Heymans

Zwijsen

Bollebooslogo, illustratie achterkant omslag en schutbladen: Gertie Jaquet
Vormgeving: Rob Galema

Boeken met dit vignet zijn op niveaubepaling geregistreerd en
gecontroleerd door KPC-groep te 's-Hertogenbosch

1e druk 2004

ISBN 90.276.7753.0
NUR 282

© 2004 Tekst: Maria van Eeden
Illustraties: Annemie Heijmans
Uitgeverij Zwijsen Algemeen B.V. Tilburg

Voor België:
Zwijsen-Infoboek, Meerhout
D/2004/1919/288

Inhoud

1. Annamarie

Maddalena stampvoet van kwaadheid als ze de trap oploopt naar haar kamertje op de zolder. Ze is razend, want haar grote zussen zijn vreselijk vervelend! Alledrie even erg: Bernadette en Charlotte net zo goed als Annamarie.

'Snertmeiden!' roept ze zo hard mogelijk.

Van beneden klinkt gelach.

'Ben je boos op me, Leentje?' roept Annamarie. Het klinkt niet of ze zich daar erge zorgen over maakt, want er zit een giechel in haar stem. Daardoor wordt Maddalena natuurlijk nog veel bozer.

'Houd daar nou eens mee op!' gilt ze. 'Ik heet niet Leentje maar Maddalena, dat weet je best!'

'Lieverd!' Annamarie holt nu achter haar aan. Met haar lange benen neemt ze twee of drie traptreden tegelijk, dus ze is al bij Maddalena nog voordat die helemaal boven is.

'Lieverd!' zegt ze weer. 'Je moet niet zo boos zijn.' Ze buigt zich over Maddalena en geeft haar een zoen boven op haar hoofd.

Maddalena doet een grote stap, waardoor ze twee treden hoger komt te staan dan haar zus, maar nog steeds is zij de kleinste.

'Ik bén ook boos. Ik noem jou toch ook niet Marietje!'

'Dat mag je best, want ik vind het lief klinken!'

lacht Annamarie. 'En jij bent onze kleine Leentje, dat is nu eenmaal zo. We houden juist allemaal zo veel van je, omdat je onze ukkepuk bent!' Weer wil ze een knuffel geven, maar daar heeft Maddalena dus geen zin in.

'Laat me met rust, ik ben geen teddybeer!' Ze rukt zich los en holt de laatste treden van de zoldertrap op. Ze smijt de deur achter zich dicht.

'Niet alleen een ukkepuk, ook een kattenkop!' hoort ze Annamarie plagend roepen en dan holderdebolderen de voetstappen van haar zus weer naar beneden.

'Ik ben géén ukkepuk!' Maddalena zegt dat wel drie keer achter elkaar. Zijzelf is de enige die het hoort, maar dat geeft niet, want daarna kan ze wat rustiger ademhalen. Maar ze blijft wel boos, want het is gewoon niet eerlijk wat er gebeurt! Vanavond geeft Isabel, de beste vriendin van Annamarie, een feestje omdat ze achttien jaar wordt. Ze heeft een uitnodiging gestuurd en daarop stond: *Aan de zusjes Van Greevenbroek.*

Maddalena had zich er juist zo op verheugd. Ze wist zelfs al precies welke jurk ze aan zou trekken. Zij is immers één van de vier zusjes Van Greevenbroek, dus zíj hoort er ook bij. Maar nu zegt Annamarie dat die uitnodiging alleen voor de groten bedoeld is. Ze vindt dat Maddalena daar niet bij past. Dus zíj mag niet mee, alleen maar omdat ze jonger is dan de andere drie. Zíj moet thuisblijven en iedereen vindt dat doodgewoon.

Nou, Maddalena vindt het onzin en daarom is ze

boos. Ze is al bijna acht, dat is toch zeker oud genoeg om naar een feestje te gaan? Bovendien was Isabel wel op háár verjaardag uitgenodigd.

Kijk, zo gaat het nu altijd!

Helemaal in het hoekje van haar kamer, achter haar bed, heeft Maddalena een kussen op de grond gelegd. Daar gaat ze zitten. Het is een prettige plek om je te verstoppen als je alleen wilt zijn, want als er dan toevallig toch iemand haar kamer binnenloopt, kan die haar niet zien. En nu wil Maddalena echt even ongestoord nadenken.

In haar gedachten somt ze alle dingen op die ze niet mag, omdat haar drie grote zussen haar daarvoor te klein vinden. Vandaag is dat het verjaardagsfeestje van Isabel, maar dat is niet het enige. Het is al veel vaker gebeurd dat alleen zíj ergens niet mee naartoe mocht. Vorige week gingen haar zussen gezellig samen naar de bioscoop en toen sloten ze haar ook al uit.

'Dan wordt het veel te laat voor je,' had Annamarie die keer gezegd. 'Je zult ondertussen in slaap vallen. En bovendien kun je nachtmerries krijgen, want het is een veel te spannende film voor jou.'

Een paar dagen daarvoor ging de hele familie uit eten met de mensen van de zaak waar haar vader voor werkt. De hele familie zónder Maddalena dan, want zij zou zich maar vervelen in zo'n deftig restaurant. Misschien zou ze zelfs wel met haar eten knoeien of haar glas omstoten. Tenminste, dat bedacht Annamarie. Het is allemaal onzin wat ze beweren, vindt Maddalena. Ze kunnen het haar toch minstens een keer laten proberen. Op deze manier kan ze nooit laten zien dat ze het allemaal best kan.

Maar nu heeft ze er genoeg van, er moet iets veranderen. De anderen moeten er nu eindelijk een keer achterkomen dat ze niet meer zo klein is als zij denken. Alleen, hoe krijgt ze dat ooit voor elkaar, als iedereen altijd maar om haar lacht wanneer ze dat wil uitleggen?

Ze zal het allemaal maar eens opschrijven.

Maddalena pakt een groot vel papier uit de la van haar werktafel en met een rode viltstift schrijft ze:

WAAROM IK KWAAD BEN

1 Ik mag nooit mee naar leuke feestjes.

2 Ik mag nooit laat opblijven.

3 Ik mag nooit deftig eten.

4 Ik mag nooit spannende dingen zien.

Als ze de vier punten nog eens overleest, wordt Maddalena nog bozer. Moet je nou toch eens kijken, het wordt een hele lijst! Als de lijst vol is zal ze ...

Maddalena weet nog niet precies wat ze dan zal doen, maar ze bedenkt wel wat. Wacht maar!

Ze rolt de lijst op en verbergt hem onder haar bed.

2. Bernadette

Als Maddalena de volgende dag thuiskomt van balletles, zijn haar zussen alledrie in de keuken. Bernadette staat bij het fornuis. Zij is allerlei groenten aan het bakken in een grote koekenpan. Op het aanrecht liggen uien, wortels, kool en prei.

Charlotte en Annamarie zijn bij de keukentafel bezig figuurtjes te snijden uit een grote plak deeg. De oven staat aan en het ruikt nu al lekker.

O ja, het is donderdag vandaag, weet Maddalena. Op die dag komt Jan-Willem altijd eten en dan maakt Bernadette steeds iets bijzonders klaar.

Jan-Willem is de vriend van Bernadette, maar ze vinden hem allemáál leuk.

'Wat gaan we vanavond eten?' vraagt ze.

'Husse!' zegt Bernadette en ze geeft Maddalena een worteltje. 'Husse met je neus ertussen!'

'Dat vind ik een flauw grapje!' roept Maddalena. 'Zeg op, wat maak je?'

'Geheim!' zeggen haar twee andere zussen nu. 'Anders is het geen verrassing meer.' Ze lachen geheimzinnig.

Bernadette heeft de pan van het vuur gehaald en nu is ze een wortel aan het fijnsnijden. Maddalena kijkt naar de bewegingen van haar handen. Het gaat razendsnel: tjakke, tjakke, tjakke. Allemaal flinterdunne oranje plakjes vallen open als de bladeren van

9

een boek. Leuk!

Maddalena hangt haar rugtas met balletspullen aan de knop van het keukenkastje en stroopt haar mouwen op. 'Mag ik helpen?'

'Nee!' Bernadette kijkt haar niet aan, terwijl ze dat zegt. Ze legt nu de kool op de plank en met een groot zaagmes snijdt ze die in twee gelijke helften. De binnenkant van de kool ziet eruit als een bloem, als een grote, groene roos.

'Doe niet zo flauw,' zegt Maddalena. 'Ik kan best ook wat doen. Er moet nog een heleboel gesneden worden!' Ze wil het kleine mesje pakken maar met een snelle beweging haalt Bernadette dat voor haar neus weg.

'Afblijven, Leentje! Straks snijd je nog in je vingers. Ga jij maar spelen. Ik heb nu geen tijd om op je te letten, want ik heb al mijn aandacht hierbij nodig.' Ze snijdt de koolbloemen nog een keer doormidden en daarna in smalle reepjes. Ondertussen praat ze met Annamarie en Charlotte over het feestje van de vorige avond. Hoe leuk het is geweest, wie er allemaal bij waren en hoe ze eruitzagen.

Het lijkt of Maddalena er helemaal niet bijhoort. Maar als ze naar buiten wil gaan, zegt Bernadette wel: 'Let je goed op de tijd, we eten om zes uur!'

'Hallo, ik ben toch geen baby meer!' zegt Maddalena boos. Natuurlijk denkt ze daaraan. Ze kan misschien nog niet zo goed klokkijken, maar in elk geval komt ze nooit ergens te laat! Ze trekt de deur expres met een klap achter zich dicht.

Als Bernadette klokslag zes uur een prachtige

groentetaart op tafel zet, zit Maddalena al op haar plaats aan de grote, ronde eettafel. Ze is haar boosheid allang vergeten. Bernadette krijgt zelfs een applausje van haar, want haar taart ziet er prachtig uit en hij is ook echt verrukkelijk geworden.

Het is altijd een vrolijke boel als Jan-Willem mee-eet. Iedereen heeft wel iets leuks te vertellen en ook de vader en moeder van Maddalena doen mee met grapjes maken.

Ze zitten lang aan tafel. Na het eten brengen ze allemaal samen de vuile spullen naar de keuken: de schalen, de borden, de glazen en het bestek.

'Ik was de vieze vaat wel af!' zingt Jan-Willem met een grappige stem. Hij laat de afwasbak vol water stromen.

'Ik droog de schone spullen af!' zingt Maddalena. Ze pakt een theedoek van het haakje en ondertussen maakt ze een paar danspasjes.

Bernadette trekt de theedoek uit haar hand.

'Geef maar hier, ik doe het wel. Als jij zo dol doet, blijft er niets heel.'

Maddalena is op slag niet vrolijk meer. Ze stampvoet. 'Ik ben bijna acht!' roept ze. 'Ik kan heus wel afdrogen. Trouwens, jij doet zelf toch ook dol!'

'Ik ben zéventien en jij bent pas zéven.' zegt Bernadette, terwijl ze Maddalena zachtjes de keuken uitduwt. 'Trouwens, volgens mij is het hoog tijd voor je bed.'

'Hou daar nou eindelijk eens mee op!' roept Maddalena. 'Doe nou niet altijd of ik maar een kleintje ben!'

'Maar je bént toch een kleintje!' zeggen haar zussen alledrie tegelijk. Dan kijken ze elkaar aan en ze barsten in lachen uit.

Maddalena zegt niets meer terug, want ze weet zeker dat ze dan in tranen zal uitbarsten. Niet omdat ze zo verdrietig is, maar van boosheid. Ze holt de trap op, naar boven naar haar kamertje zonder iemand welterusten te zeggen. Ze wil meteen in haar bed kruipen, maar dan denkt ze aan de lijst.

Gelukkig ligt die nog precies waar ze hem heeft achtergelaten. Ze haalt hem onder haar bed vandaan en leest wat ze gisteren heeft geschreven. Punt één, punt twee, punt drie en punt vier.

'Het klopt allemaal!' zegt ze tegen zichzelf. 'Maar er kan nog heel wat bij!'

Met mooie letters schrijft ze de volgende punten op:

5 Ik mag nooit eten klaarmaken.
6 Ik mag nooit zelf op de tijd letten.
7 Ik mag nooit de afwas doen.

Het papier is nu voor meer dan de helft vol. Er kan niet zo veel meer bij.

Goed zo, denkt Maddalena, terwijl ze de lijst oprolt en verstopt. Wacht maar af. Op een dag laat ik zien dat ik niet te klein ben. Ik bedenk nog wel wat!

3. Charlotte

Zaterdag wordt een fijne dag, dat weet Maddalena zeker. Haar vader en moeder zijn een weekendje weg, dat doen ze wel vaker zo met z'n tweeën. De grote zussen zorgen dan voor het huishouden en zij passen op Maddalena. Op zulke dagen doen ze altijd alleen maar leuke dingen.

Eerst gaan ze met z'n allen naar de markt. Maddalena mag achterop bij Charlotte, want zij heeft de beste fiets.

Ze kopen vreselijk veel: bossen bloemen, tassen vol groente en fruit, olijven en noten, lekkere dingen voor het avondeten en het zondagochtendontbijt. De fietstassen zitten stampvol en Maddalena's buik ook, want bij bijna elke kraam krijgt ze wel iets om te proeven: een stukje kaas, een zakje stroopwafelkruimels, een handje rozijnen; het houdt niet op. Maar ze gaan nog niet meteen naar huis. Onderweg drinken ze wat in een cafeetje en Maddalena krijgt cola, iets wat ze van haar moeder eigenlijk niet eens mag.

Terwijl ze samen met haar zussen de fietstassen aan het uitladen is, komt er iemand op een scooter de straat inrijden. Onder luid getoeter komt hij hun richting uit en stopt bij hun huis. Voor Maddalena goed en wel in de gaten heeft wie er op die scooter zit, komt Charlotte de voordeur uit hollen met Annamarie en Bernadette achter zich aan.

'Wauw, Coco! Wat gaaf!' roept Charlotte en ook de andere twee zussen zijn laaiend enthousiast.

'Wat ziet hij er goed uit!' 'Wat een mooie kleur!' 'Fantastisch!' roepen ze. Ze staan om de scooter heen en bewonderen hem van alle kanten.

'Geluksvogel!' zegt Charlotte tegen haar vriendin.

'Is die van jou, Coco?' Maddalena kan het haast niet geloven. Mag jij al op een scooter rijden?'

'Ik ben zestien en ik heb mijn rijbewijs!' zegt Coco. 'Ik heb hem helemaal zelf verdiend met mijn kranten-wijk.' Ze gaat weer op het zadel zitten en ze klopt op het stuur. 'Wie wil er achterop? Dan gaan we een proefritje maken!'

'Ik.' 'Ik.' 'Ik.' De zussen willen wel alledrie tege-lijk, maar Maddalena is slimmer: in een mum van tijd is ze achter op de scooter geklommen.

'Ik eerst!' roept ze, maar ze zit er niet lang. Van vier kanten tegelijk wordt er geroepen:

'Nee, jij bent nog te klein, dat is veel te gevaarlijk!'

'Dit is alleen voor zestien jaar en ouder, Leentje.' Charlotte tilt haar op en zet haar met een zwaai terug op de stoep. Daarna klimt ze zelf op de scooter.

'Ik mag eerst, want Coco is mijn vriendin!' Ze steekt haar tong uit. Bah, ze lijkt zelf wel een klein kind.

Maddalena wil niet zien hoe haar zussen plezier hebben, terwijl zij niet mee mag doen. Ze loopt naar binnen. Ze gaat met haar armen over elkaar op de bank zitten. Ze verveelt zich!

Niet zo veel later komen de vier naar binnen. Ze hebben allemaal een rode kleur en hun haren zitten in de war door het ritje op de scooter. Ze praten druk en vrolijk over hoe heerlijk het was. Maddalena zegt niets, maar ze luistert wel naar hen.

'Ik ga ook zo vlug mogelijk mijn rijbewijs halen,' zegt Charlotte. 'En ik ga ook sparen voor een scooter. Daar kan ik meteen mee beginnen, want ik moet vanmiddag babysitten bij Jeroentje van de buren.'

'Vandaag?' roept Coco uit. 'Moet je oppassen? En ik wilde je juist vragen of je met mij meegaat naar mijn vader, die viert vandaag zijn verjaardag. Kun je het niet afzeggen? Of misschien kunnen Annamarie of Bernadette het wel voor je doen. Ik wil zo graag dat je meekomt! Je mag natuurlijk achterop!' Ze rammelt met haar sleutelbos.

Maar Coco's plannetje kan niet doorgaan, want Bernadette heeft afgesproken met Jan-Willem en Annamarie blijft natuurlijk bij Maddalena.

'Jammer, ik had het eerder moeten weten,' zegt Charlotte. 'Maar afspraak is afspraak. Je kunt een jongetje van vier jaar niet alleen thuis laten.'

De twee vriendinnen kijken naar elkaar en ze halen hun schouders op.

'Pech, dan ga ik maar alleen!' zegt Coco. 'Maar nu moet ik echt gaan, want ik moet ook nog een cadeautje kopen.'

Op dat moment krijgt Maddalena een goed idee.

'Charlotte, ik weet wat, je kunt toch met Coco meegaan. Ik kan best op Jeroentje passen vanmiddag. Ik speel zo vaak met hem: dan doen we verstoppertje of ik vertel een verhaal. Hij luistert altijd naar me en ik weet precies wat er allemaal moet gebeuren.'

Charlotte zegt niet: 'Ja graag!' zoals Maddalena had verwacht. In plaats daarvan roept ze: 'Hallo! En wie past er dan op jou?'

'Er hoeft niemand op mij te passen. En het geld dat ik verdien geef ik aan jou, voor je nieuwe scooter!'

Nu beginnen ze allemaal te lachen. Ze lachen haar gewoon uit.

Er springen tranen in Maddalena's ogen. Vlug veegt ze die weg maar Charlotte heeft het al gezien. 'Niet huilen, Leentje!' troost ze, terwijl ze haar armen om Maddalena heen slaat. 'Het is lief bedacht, echt, maar voor oppassen ben je veel te klein. Dat snap je toch wel!'

'Laat me los!' roept Maddalena. 'Ik huil niet, maar ik ben kwaad, op jullie allemaal!

En weet je wat ik niet snap? Dat jullie er helemaal niets van begrijpen!'

Ze holt de kamer uit naar boven. Haar handen houdt ze tegen haar oren gedrukt om dat lachen niet meer te hoeven horen.

4. De lijst is vol

'Ik wil ze nooit meer zien, die snertmeiden!' Maddalena verstopt zich eerst achter haar bed, maar dat is niet voldoende. Zo kan iedereen nog haar kamer binnenkomen. Wat stom, ze heeft niet eens een sleutel om haar deur behoorlijk op slot te doen. Maar ze weet wel een oplossing: ze zet een stoel voor de deur en daar gaat ze bovenop zitten. Zo kan niemand de deur onverwacht openmaken. Hoewel, is zo'n versperring wel zwaar genoeg? Straks duwen ze haar met stoel en al naar voren; haar zussen zijn zo groot. Wat kan ze doen om te zorgen dat ze uit haar buurt blijven? Wat is zwaar genoeg?

Speurend kijkt ze haar kamer rond. De kast en haar werktafel zitten vast aan de muur. Dan blijft alleen haar bed over, dat is zeker zwaar genoeg. Als ze het bed tegen de deur aan krijgt, komt er geen mens meer binnen.

Maddalena gaat met haar rug tegen het voeteneinde staan en met haar billen duwt ze tegen het bed. Het gaat vreselijk moeilijk. De houten poten stribbelen tegen, ze krassen over de houten planken van de vloer. Maar daar luistert Maddalena niet naar. Ze zet door en opeens schuift het bed een stuk naar voren. Met een smak komt Maddalena op de grond terecht. Haar stoel rolt omver en er vallen allemaal spullen, maar dat geeft niets, het bed staat nu tenminste op de goede

plek. Precies op tijd, want er komt iemand de zoldertrap oplopen. Die iemand probeert ook haar deur open te doen. Maddalena ziet de klink bewegen, maar gelukkig, de deur blijft dicht.

'Leentje, doe eens open?' Het is Charlotte. 'Ik vind het vervelend dat je zo verdrietig bent,' zegt ze. 'Maar vanavond als ik weer thuis ben, gaan we spelletjes doen. Dan mag je lekker lang opblijven!' Maddalena geeft geen antwoord.

Charlotte probeert het nog een paar keer: 'Kom op Leentje, doe niet zo flauw en zeg wat tegen me.' Ze bonst op de deur, maar die geeft niet mee.

'Laat me met rust. Ik praat niet meer met mensen die me Leentje noemen!' Maddalena zegt het zo boos mogelijk, maar stiekem heeft ze wel een beetje schik. Nu is zíj eens een keer de sterkste. Ook als Charlotte daarna 'Maddalena' tegen haar zegt, laat ze zich niet overhalen, want Charlotte zegt het op zo'n overdreven manier. Maddalena weet zeker dat ze het niet meent, dus ze gaat niet naar beneden naar die zogenaamde groten. Ze blijft op haar kamer tot er iets is veranderd!

'Dan niet, maar nu gedraag je je wel als een klein kind, Lééntjú!' roept Charlotte, terwijl ze wegloopt.

Zie je wel, daar heb je het weer. Het is maar goed dat ze niet heeft toegegeven. Ze gaat nu meteen alles opschrijven.

De lijst ligt niet meer onder het bed. Maddalena vindt hem terug onder de omgevallen stoel: een beetje geplet en gevouwen, maar gelukkig nog helemaal heel. Ze rolt hem uit op de vloer en ze veegt de kreukels glad.

Wat staat er al veel op. Maddalena leest hardop:

WAAROM IK KWAAD BEN
1 Ik mag nooit mee naar leuke feestjes.
2 Ik mag nooit laat opblijven.
3 Ik mag nooit deftig eten.
4 Ik mag nooit spannende dingen zien.
5 Ik mag nooit eten klaarmaken.
6 Ik mag nooit zelf op de tijd letten.
7 Ik mag nooit de afwas doen.

Het is echt om razend van te worden. En nu komt er dus nog meer bij! Omdat ze haar rode viltstift niet ziet liggen, schrijft ze met dikke, oranje letters verder:
8 Ik mag nooit achter op de scooter bij Coco.
Maar dat punt streept ze meteen weer door, want eigenlijk hoort dat niet op haar lijst. Nu ze erover nadenkt vindt ze zo'n scooter ook wel gevaarlijk. Niet alleen voor haarzelf, voor iederéén. Maar ze heeft nog wel andere punten.
8 Ik mag nooit oppassen op kleintjes.
En dan komt een punt waarmee de lijst eigenlijk had moeten beginnen. Met koeienletters schrijft ze:
9 EN MIJN NAAM IS MADDALENA.
En dan is het hele papier volgeschreven.
Maddalena gaat met de lijst op haar bed zitten en ze leest de negen punten. Niet één keer, maar telkens opnieuw tot ze de woorden kan dromen en de letters voor haar ogen gaan dansen. Zelfs als ze haar ogen dichtdoet, ziet ze de rode en oranje letters die vertellen wat ze allemaal niet mag.

Nu is het dus zover: nu moet ze iets bedenken om haar zussen een lesje te leren. Misschien moet ze gewoon van huis weglopen, dan begrijpen ze tenminste dat ze het écht meent.

Misschien loop ik wel weg! schrijft ze met kriebelletters op een hoekje van de lijst.

Ze springt van haar bed en loopt met grote stappen heen en weer in haar kamer. Ze gaat bij haar raam staan en kijkt naar buiten. De straat is leeg; er staan alleen een paar geparkeerde auto's. Ze hoort het geluid van een motor. Het is Coco die op haar scooter de straat uitrijdt. Nu pas, dus zo veel haast had ze niet!

Maddalena buigt zich naar voren en kijkt haar na tot ze verdwenen is. Dan ontdekt ze dat er iets in de dakgoot onder haar raam ligt, iets pluizigs en donzigs. Het lijkt op een vogel, maar daarvoor zijn de kleuren te fel: oranje en rood. Is het een of ander knuffelbeest dan?

Maddalena klautert op haar vensterbank. Ze moet gevaarlijk ver naar buiten hangen om het te pakken, maar het lukt.

Als ze weer veilig met beide benen op de grond staat, kan ze bekijken wat ze gevonden heeft. Het is geen vogel en ook geen knuffelbeest.

Het zijn twee vleugeltjes.

5. Vleugeltjes

Ze zijn prachtig! Maddalena bekijkt de vleugeltjes die ze heeft gevonden van alle kanten. Zouden ze echt van een vogel zijn? Tientallen, of misschien wel honderden zachte veertjes zitten vast aan een ondergrond die lijkt op het blad van een tennisracket. Alleen heeft ze nog nooit een vogel gezien met zo'n kleur veren: oranjerood. Maar als ze niet van een vogel zijn, waar zouden ze dan vandaan komen?

Er is iets grappigs met de vleugeltjes, ontdekt ze nu. Aan de bovenkant zit een soort sokken vastgemaakt. Open sokken zijn het, zonder teen.

Maddalena steekt haar voeten erin. Dat ziet er raar uit: wat moet je nou met vleugeltjes aan je voeten? Zo lijken het wel zwemvliezen. Vleugels horen ergens aan je schouders vast te zitten.

Natuurlijk! Maddalena schiet in de lach. 'Domkop,' zegt ze tegen zichzelf. 'Die dingen zijn geen sokken, maar mouwen. Het zijn verkleedvleugels.' Ze steekt haar handen door de openingen en ze schuift de vleugeltjes over haar armen naar boven, zo hoog mogelijk. Daarna beweegt ze een beetje met haar schouders en de vleugeltjes vallen precies op hun plaats. Het is een prettig gevoel, net of ze ineens een stuk lichter wordt.

Hoe zou het haar staan, vleugeltjes? Ze doet haar kastdeur open. Aan de binnenkant daarvan zit een grote spiegel.

Maddalena krijgt een kriebelig gevoel in haar buik, als ze naar zichzelf kijkt. De vleugeltjes steken aan beide kanten van haar schouders een stukje naar buiten. Ze bewegen zacht heen en weer, dat zal wel door de tocht komen, maar er is ook nog iets met haar voeten. Die staan niet op de grond, maar ze zweven een klein stukje daarboven. Maddalena maakt een luchtsprongetje, omdat ze denkt dat ze daardoor weer met haar beide voeten op de grond terecht zal komen, maar er gebeurt iets heel anders. Ze gaat naar boven, dat wel, en veel meer zelfs dan ze verwacht had. Ze kan nog net in de spiegel zien dat de vleugeltjes nu echt flink wapperen. Ze nemen haar mee de lucht in, dwars door haar kamer. Maddalena vliegt over de stoel heen, over haar werktafel in de richting van het raam. Voor ze goed en wel in de gaten heeft wat er met haar gebeurt, vliegt ze door het raam naar buiten. Ze stijgt pijlsnel omhoog en ze kan niets doen om het tegen te houden. De vleugeltjes zijn de baas.

Help, dit is gevaarlijk! Maddalena knijpt haar ogen stijf dicht en dan opeens herinnert ze zich punt vier van haar lijst.

'Ik ben niet zo gauw bang!' zegt ze tegen zichzelf en ze doet haar ogen wijdopen.

Wauw! Wat ziet de wereld er mooi uit zo vanbovenaf. Ze ziet de stad beneden zich, maar ook weilanden, bossen en rivieren. De vleugeltjes tillen haar nog verder naar boven en nu vliegt ze zelfs hoger dan de vogels. Om haar heen zijn alleen nog maar wind en wolken. Van de aarde ziet ze niets meer.

Maddalena begint er al een beetje aan te wennen.

Misschien is dit wel wat je voelt, als je achter op een scooter meerijdt. Haar zussen zouden haar nu eens moeten zien!

Voorzichtig beweegt ze haar ene schouder een beetje. Meteen maakt ze een koprol in de lucht, dat is grappig. Ze probeert van alles uit en na een tijdje weet ze hoe ze moet sturen en ook hoe ze hoger en lager kan gaan. Nadat ze nog wat geoefend heeft, lukt het haar zelfs om af te remmen of juist sneller te vliegen. Nu zijn de vleugeltjes niet meer de baas, dus nu wordt het echt leuk. Waar zal ze naartoe gaan?

Naar zee? Of naar Disneyland? Ze kan overal komen waar ze wil.

Maar dat heeft ze toch mis, want terwijl ze dat denkt begint ze onverwachts te dalen. Razendsnel bewegen de vleugeltjes op en neer en ze nemen haar mee naar omlaag. Maddalena kan het niet tegenhouden, ook niet als ze zwembewegingen maakt of iets anders uitprobeert. De aarde komt weer dichterbij. Ze suist op een groene vlakte af. Het is een bos! Straks slaat ze nog te pletter tegen de takken!

Maar dan remmen de vleugeltjes vanzelf al af. Maddalena glijdt precies tussen de boomkruinen door. Ze hoort de bladeren ritselen en rustig landt ze op de zachte bosgrond.

6. Een donker bos

Maddalena kijkt haar ogen uit. Alles om haar heen is groen: het mos op de grond, de struiken, de boomstammen en het bladerdak boven haar. Zo veel kleuren groen. Maddalena wist niet eens dat dat bestond. Van de blauwe lucht is hier beneden niets te zien. Daardoor lijkt het wel avond, al is het niet echt donker. En het is vooral heel stil. Het enige wat ze hoort, is het zachte ruisen van bladeren en de roep van een vogel: 'Pjieríet, pjieríet!' Maar waar hij zit, kan Maddalena niet ontdekken. In zo'n bos kun je je overal verstoppen.

Als Maddalena daaraan denkt, krijgt ze kippenvel. Wie zouden zich nog meer kunnen verbergen achter al die bomen?

Ze moet maar vlug terug naar huis gaan, voordat het echt donker wordt. Zacht beweegt ze haar schouders. De vleugeltjes fladderen een beetje, maar verder doen ze niets. Dan strekt ze haar armen wijduit en ze wappert daar zo heftig mee dat ze de vleugeltjes tegen haar rug voelt flappen. Toch komt ze geen sikkepitje los van de grond. Zouden ze soms uitgewerkt zijn, zoals een batterij die leeg is? Hoe moet ze dan thuiskomen? Welke kant is de richting naar haar huis? Alle kanten zien er precies hetzelfde uit.

'Pjieríet!' Dat is die vogel weer, waar zit hij? Maddalena knijpt haar ogen dicht en langzaam draait ze rond.

'Pjieríet' Het klinkt nu veel dichterbij. Maddalena doet haar ogen open. De vogel zit op de onderste tak van een boom niet ver van haar vandaan. Op het moment dat Maddalena hem heeft ontdekt, vliegt hij omhoog en verdwijnt tussen de bladeren. Maar als ze naar de boom is gelopen, ziet ze vanaf die plek, heel in de verte tussen het groen van de bomen, een paar andere kleuren schemeren: wit en rood. Er staat daar een huis! En er loopt zelfs een pad naartoe!

Maddalena holt tussen de struiken vandaan en volgt het paadje dat zigzag tussen de bomen door slingert. Het ene moment ziet ze het huis heel duidelijk en even later lijkt het weer helemaal verdwenen. Maar net als ze denkt dat er geen einde komt aan het pad, staat ze er opeens vlak voor.

Het huis is veel kleiner dan ze eerst had gedacht. De voordeur is laag, zelfs zij zal amper rechtop naar binnen kunnen. Daarnaast zit een raam, maar dat is donker. Wie zou hier nou kunnen wonen? Er zit niet eens een bel bij de deur!

Terwijl ze daar staat, hoort Maddalena ergens vlakbij een vreemd geluid. Het lijkt op een zucht, maar er zit ook een hinnikje in. Het klinkt niet vrolijk. Maddalena doet een paar stappen achteruit en dan ontdekt ze dat op een bankje aan de zijkant van het huis een dikke, witte geit zit.

'Wat is er, waarom zucht je zo?' vraagt Maddalena.

'Zou ik niet zuchten!' zegt de geit. 'Ik heb vreselijke honger en mijn kinderen ook, maar ik durf niet naar de stad om boodschappen te gaan doen. De wolf loopt hier ergens rond. Hij loert op mijn kinderen, al een hele tijd. Meenemen kan ik ze niet, want ik kan niet op allemaal tegelijk letten. Het zijn er namelijk zeven en daar zit ook nog een heel kleintje bij. Maar ik kan ze toch ook niet laten verhongeren! Daarom zucht ik, begrijp je, omdat ik het zo moeilijk vind.'

Zeven geitjes en een wolf? denkt Maddalena. Dan weet ik al wat er gaat gebeuren en dat is niet zo best!

'Niet weggaan, hoor!' zegt ze. 'Die wolf is echt heel gemeen. Hij verzint van alles en dan lukt het hem toch om binnen te komen!'

'Ik weet het, ik weet het,' zucht de geit, 'maar ik heb helemaal geen eten meer in huis, dus zal ik ze wel alleen moeten laten.'

'Weet je wat,' bedenkt Maddalena vlug, 'laat míj maar oppassen en dan zal ik er wel voor zorgen dat die wolf het huis niet inkomt.'

'Zou jij dat kunnen?' De moedergeit bekijkt Maddalena keurend van top tot teen. 'Wat vreselijk lief van je! Kom vlug mee naar binnen, dan stel ik je voor aan mijn geitjes en dan ga ik zo vlug mogelijk naar de stad. Ik wil voor het donker weer terug zijn, dat begrijp je zeker wel.'

Met snelle stapjes loopt ze voor Maddalena uit het huisje binnen.

7. Zeven geitjes

Even later is de moedergeit met haar lege boodschappentassen vertrokken, maar eerst heeft ze nog een paar keer gezegd dat de geitjes alleen maar voor háár de deur open mogen doen, verder voor niemand.

'Ik let erop, het komt wel goed!' heeft Maddalena elke keer geantwoord en nu is ze alleen met de kleine geitjes.

Die zijn grappig en vrolijk, alle zeven, en het kleinste geitje nog het allermeest. Die lijkt zelfs een beetje op Jeroentje van de buren. Daardoor weet Maddalena meteen wat voor spelletje ze kan doen: verstoppertje.

In het huisje zijn maar twee kamers: één om te wonen en één om te slapen, maar er zijn veel plaatsen waar je je kunt verstoppen: onder de bedden, in de kast, achter het gordijn ... Het kleinste geitje vindt de beste verstopplek. Die slimmerik gaat onder in de grote klok zitten. Daardoor duurt het een hele tijd voordat de andere geitjes hem gevonden hebben.

Daarna vertelt Maddalena een verhaal over spoken en monsters. Ze maakt er ook tekeningen bij, die zo griezelig zijn dat de geitjes er stil van worden.

Op dat moment wordt er geklopt en een fluisterstem zegt: 'Geitjes, doe eens open.'

'Dat is onze moeder!' roepen de geitjes. Ze stormen naar de deur. Maar Maddalena roept: 'Wacht even! Jij daar buiten, houd je poot eens voor het raam?'

'Waarom dat? Waar is dat goed voor?' fluistert de stem. Voor het raam verschijnt een poot en dat is geen witte geitenpoot, maar een gemene klauw met ruige, donkere haren. De geitjes beginnen te gillen: 'De wolf, dat is de wolf!'

'Je hoeft niet bang te zijn,' zegt Maddalena en vervolgens roept ze met een strenge stem: 'Maak dat je weg komt, lelijkerd. Wij doen niet open! De poot van een geit is wit!' Ze horen eerst een boze schreeuw en dan voetstappen die verdwijnen.

'Hij is weg!' juichen de geitjes. 'Nu moet je weer verder vertellen!' maar Maddalena heeft een ander plan. 'We gaan een monsterspel spelen. Dan maken we maskers van de tekeningen en daarmee gaan we elkaar bang maken!'

'Ja, ja, ja!!' De geitjes beginnen meteen, maar ze zijn pas halverwege als er alweer geklopt wordt. Een helderwitte poot tikt tegen het raam en een fluisterstem roept: 'Doe open kinderen!'

'Nu is het wel onze moeder,' roepen de geitjes en ze hollen naar de deur.

Maar Maddalena zegt weer: 'Wacht!' En ze roept: 'Jij daar, praat eens wat harder, we verstaan je niet. Wie ben je?'

'Ik ben jullie moeder!' roept een rauwe, harde stem.

'Help, dat is de stem van de wolf!' roepen de geitjes.

Maddalena roept: 'Wegwezen wolf, een geitenmoeder heeft een hoge, lichte stem!' En dan horen ze de wolf woest stampend weglopen.

'Daar zijn we vanaf!' roepen de geitjes en opgelucht gaan ze door met hun enge maskers. Daarna spelen ze het monsterspel en ze denken nergens meer aan.

Als er voor de derde keer wordt aangeklopt, zijn de geitjes voorzichtiger. Ze kijken naar het raam. Het is een witte poot die tikt, maar toch doen ze de deur nog niet open.

'Zeg eens hardop wie je bent?' roepen ze.

Een hoge, lichte stem antwoordt: 'Ik ben het, jullie moeder!'

'Dat is de stem van onze moeder!' De geitjes hollen naar de deur, en voordat Maddalena ze kan tegenhouden, hebben ze die opengedaan.

Groot en dreigend staat de wolf in de deuropening, klaar om aan te vallen en de geitjes te verslinden.

Ze blijven stokstijf staan en kunnen alleen nog gillen, maar dan gebeurt er iets wonderlijks. De wolf krimpt in elkaar. Zijn gemene gezicht krijgt een doodsbange uitdrukking. Hij begint te janken. Vliegensvlug draait hij zich om en nog sneller rent hij weg. Hij verdwijnt in het bos met zijn staart tussen zijn poten.

'Wat was dat? Waarom loopt hij nu ineens weg?' De geitjes snappen er niets van, maar Maddalena schiet in de lach. 'Het komt door jullie maskers en jullie gekrijs. Hij denkt waarschijnlijk dat het hele huis vol monsters zit. Die zien we niet gauw meer terug!'

'Echt waar, is de wolf bang voor óns?' De geitjes rollen over elkaar heen van het lachen en ze kunnen er niet meer mee ophouden.

'Zag je zijn gezicht?' zeggen ze, en: 'Zag je hoe hard hij wegliep?' Ze doen hem na en ze zingen het liedje van: 'Wie is er bang voor de grote, boze wolf?' Maddalena doet net zo hard mee.

Plotseling klinkt een verschrikte stem: 'Wat is er aan de hand? Is de wolf geweest?' Zonder dat ze het gemerkt hebben is de geitenmoeder binnengekomen.

'Zijn al mijn kinderen er nog?' vraagt ze angstig. Ze begint ze te tellen: 'Een, twee, drie ...' maar alle geitjes lopen door elkaar heen, omdat ze allemaal tegelijk het verhaal willen vertellen.

Opeens geeft hun moeder een gil. 'Het zijn er maar zes! Mijn kleinste geitje is er niet bij! Heeft de wolf hem gepakt?'

Even schrikt Maddalena ook, maar dan weet ze het weer, ze loopt naar de klok. 'Kijk hier eens!' zegt ze, terwijl ze het deurtje opendoet.

'Boe!' Met een schreeuw springt een klein monster uit de klok. In plaats van te schrikken slaat zijn moeder haar voorpoten om hem heen. 'Gelukkig! Jullie zijn er alle zeven! En nu mondjes dicht allemaal. Laat Maddalena vertellen.'

'Nou,' begint Maddalena, 'ik ...' Ze kan haar zin niet afmaken. Er gebeurt iets vreemds met haar, het lijkt of ze ineens een stuk lichter wordt. Haar voeten staan niet meer gewoon op de grond, ze zweeft! Voordat ze kan uitleggen wat er gebeurt, tillen de vleugeltjes haar op. Voor de verbaasde ogen van de geitjes vliegt ze het huisje uit, naar buiten.

8. Een beetje ziek?

Eerst vindt Maddalena het jammer, want ze was graag nog een tijdje bij de zeven geitjes gebleven. Als ze hoger en hoger wordt opgetild en weer tussen de wolken vliegt, waait de wind alle gedachten uit haar hoofd en is het alleen maar heerlijk. Ze is zo vrij als een vogel en tegelijk voelt ze zich als een vis in het water: ze duikt en ze zweeft, ze drijft en ze fladdert. Ze speelt in de lucht tot de vleugeltjes opeens weer uit zichzelf gaan klapwieken en haar snel meevoeren, terug naar de aarde. Ze ziet het land dichterbij komen, een stad, een straat ... daar is haar huis. Dan vliegt ze al door het open raam naar binnen.

Maddalena staat weer gewoon met haar voeten op de vloer. De vleugeltjes hangen nu slap op haar rug, maar in haar hoofd is ze nog heerlijk zweverig. Ze gaat op haar bed zitten tot het draaierige gevoel voorbij is. Ondertussen stroopt ze de vleugeltjes van haar armen af. Ze zijn wel een beetje verfomfaaid door het vliegen en ze lijken ook wel kleiner geworden. Het is niet te geloven dat ze daarmee zo heerlijk gevlogen heeft.

Opeens lijkt alles wat er gebeurd is raar en onecht. Heeft ze werkelijk gevlogen of heeft ze zich alleen verbeeld dat ze bij de zeven geitjes was? Zal ze de vleugeltjes snel nog even aandoen om het uit te proberen? Ze gaat bij het raam staan en verlangend kijkt ze naar de lucht. 'Vanavond!' belooft ze aan zichzelf.

Voorzichtig strijkt ze de veertjes glad. Ze moet er zuinig op zijn en ze vooral op een veilig plekje opbergen. Niemand hoeft te weten dat ze vleugeltjes heeft en vliegen kan, dat is háár geheim. Maar waar zal ze ze dan bewaren?

Onder haar bed niet, daar is het veel te stoffig. In haar kast ook niet, want daar legt mama altijd haar schone kleren neer. En zéker niet onder haar matras, daar worden ze helemaal plat.

Is er in haar hele kamer nou niet één plek waar ze de vleugeltjes kan verstoppen? Dan ziet ze de lijst met de rode en oranje letters op haar bed liggen en ze weet al wat ze zal doen. Met een slim lachje rolt ze de lijst op tot een ronde koker en voorzichtig laat ze de vleugeltjes erin glijden. Mooi, niemand kan zien dat daar iets in zit.

Op dat moment wordt er aan haar deurknop gerammeld:

'Ben je wakker, Leentje?' roept de stem van Annamarie, 'Kom je naar beneden? We gaan eten.'

'Wacht!' Maddalena trekt aan haar bed en ze duwt en sleept om het weer op zijn plaats te krijgen. Eindelijk kan Annamarie binnenkomen.

'Heb je lekker geslapen?'

'Ik heb helemaal niet geslapen!' zegt Maddalena. 'Ik heb de hele tijd gespeeld!' Dat is waar, ze jokt niet.

'Ja, ja, maar niet heus!' Annamarie gelooft haar niet. 'Ik heb vanmiddag twee keer aan je deur staan roepen en je hebt me niet gehoord. Trouwens, ik kan het gewoon aan je zien: je haren zitten helemaal in de war.' Ze woelt met haar handen door Maddalena's krullen. 'Hè, wat raar, er zitten allemaal groene blaadjes in, hoe komt dat?'

Oei, die komen uit het bos! Vlug bedenkt Maddalena een spelletje om Annamarie af te leiden. Ze steekt haar tong uit: 'Pak me dan als je kan, Marietje!' Dan holt ze haar kamer uit, de trap af naar beneden met haar grote zus achter zich aan.

Aan tafel kan Maddalena niet goed eten. Ze voelt zich rozig van al dat vliegen en het geheim zit de hele tijd in haar hoofd. Zouden de vleugeltjes het nog een keer doen? En zou ze dan weer met die grappige geitjes kunnen spelen?

Het is moeilijk om er niet over te praten, vooral als Annamarie vraagt: 'Wat zit je toch te dromen! Vertel eens, waar denk je aan?' Allemaal kijken ze naar haar.

Maddalena weet niet wat ze zal antwoorden en ze voelt dat ze een kleur krijgt. Ze buigt haar hoofd diep over haar bord. Maar ze heeft geluk. Ze hoeft helemaal niets te zeggen, want nu beginnen haar zussen alledrie over haar te praten.

'Volgens mij is Leentje niet lekker!' zegt Annamarie. 'Ze heeft de hele middag liggen slapen!'

'Is dat zo?' vraagt Charlotte.

'Ze eet ook haast niets, ze is misschien wel ziek,' zegt Bernadette. Ze kijkt Maddalena onderzoekend aan: 'En ze heeft zo'n rode kleur. Zou ze koorts hebben?'

Meestal wordt Maddalena vreselijk boos als haar zussen zo over haar praten, maar nu kan het haar niet schelen. Wat haar zussen zeggen dringt nauwelijks tot haar door.

Ze vindt het allemaal prima, zelfs als Charlotte zegt: 'Leentje, je moet vandaag maar vroeg naar je bed in plaats van op te blijven. Misschien ben je dan morgen fit genoeg om spelletjes te doen en zo.'

Maddalena schuift haar bord van zich af en ze staat op.

'Ik ga wel meteen naar boven!' zegt ze.

Zo vlug mogelijk kleedt ze zich uit.

Als Annamarie even later bij haar komt kijken, is Maddalena al klaar.

'Wat flink van je, dat je zo zonder mopperen gaat slapen. Morgen voel je je vast veel beter.' Annamarie geeft haar een zoen en dan loopt ze de kamer uit. Maar ze weet niet dat Maddalena iets heel anders van plan is dan slapen.

9. Nog eens vliegen

Meteen als Annamarie de deur achter zich heeft dichtgedaan, komt Maddalena uit haar bed. Ze kan echt niet langer wachten. Zachtjes, zodat ze haar beneden niet horen, haalt ze de opgerolde lijst met de vleugeltjes tevoorschijn. Ze neemt de tijd niet om haar kleren aan te trekken. Vlug vlug trekt ze de vleugeltjes over de mouwen van haar nachtpon. Dan schuift ze de gordijnen opzij en doet het raam zo wijd mogelijk open.

Het is al donker aan het worden. Terwijl ze uit het raam kijkt, floepen de lantaarnpalen aan. Het licht ervan is eerst oranje, daarna wordt het geel. De straat ziet er geheimzinnig uit.

'Toe maar!' fluistert Maddalena, ze wiebelt met haar schouders, maar er gebeurt niets. Langzaam wordt het helemaal donker en nog steeds hebben de vleugeltjes niet bewogen. Ze doen helemaal niets.

Maddalena krijgt een dof gevoel in haar buik. Zou het dan toch waar zijn? Heeft Annamarie gelijk en heeft ze de hele middag alleen maar geslapen? Was dat vliegen gewoon een droom? Ze rilt. Haar voeten zijn koud geworden. Langzaam keert ze zich om en loopt naar haar kleerkast. Ze zoekt haar pantoffels en trekt die aan, maar daar wordt ze niet warmer van. Ze sloft terug naar het raam om het dicht te doen. Op dat moment komt de maan boven de rij huizen aan de

overkant van de straat uit piepen. Eerst is het alleen een klein, licht streepje, maar algauw is hij er helemaal. Vol en rond staat hij te stralen in de lucht.

Het lijkt of de vleugeltjes daarop gewacht hebben, want nu beginnen ze hevig te wapperen. Maddalena vliegt het raam uit, de nacht in.

Het vliegen gaat iets rustiger dan de eerste keer. Maddalena heeft alle tijd om te kijken. Doordat de maan zo helder schijnt, zijn er in de lucht geen sterren te zien, maar beneden op de aarde fonkelen duizenden lichtjes van lantaarnpalen, snelwegen en winkels.

De vleugeltjes blijven klapwieken en Maddalena is alweer voorbij de lichtjes van de stad. Onder haar strekt zich een grote, donkere vlakte uit. Zou dat het bos van de geitjes zijn? Ze is daar ook al snel voorbij en ze ontdekt in de verte een lichte plek die langzaam dichterbij komt. Het is een enorm gebouw dat helder verlicht is. Eerst denkt Maddalena dat ze bij een voetbalstadion zal terechtkomen, maar dan ziet ze dat het een paleis is. Een paleis met meer dan honderd ramen en voor al die ramen staan kandelaars met brandende kaarsen.

Maddalena landt op de oprijlaan recht voor de ingang van het paleis.

Er is daar zeker iets aan de hand: heel veel mensen zijn buiten aan het werk. Ze zijn zo druk bezig dat niemand haar heeft opgemerkt. Mannen en vrouwen en ook een aantal jongens en meisjes die niet veel groter zijn dan zijzelf, zijn de traptreden voor de poort aan het opruimen en vegen. Er zijn mannen die lantaarns aansteken met lange stokken waar vuur aan zit.

41

Het lijkt wel dag in plaats van nacht, zo licht is het. Dan klinkt een bel. 'Het bal begint!' wordt er geroepen en de mensen haasten zich naar binnen, het paleis in. Andere mannen in mooie pakken komen naar buiten. Zij gaan in een rij voor de poort op wacht staan. Dat zijn lakeien, dat snapt Maddalena wel, maar op wie zouden ze wachten?

Nieuwsgierig wil ze naar een plek lopen waar ze een beter uitzicht heeft, maar iemand pakt haar bij de arm en trekt haar mee naar binnen.

'Heb je de bel niet gehoord?' vraagt een vrouw met een streng gezicht. 'Straks komen de gasten en dan hoor je daar niet meer te zijn, dat weet je toch? Waar help jij, in de keuken of in de kleedkamers?'

Oeps, die vrouw denkt dat zij ook een helpster is. Zonder erover na te denken zegt Maddalena: 'In de kleedkamers!'

'Snel dan, naar boven!' De vrouw duwt haar een gang in. Aan het einde is een trap. Eerst vindt Maddalena het een beetje eng om zomaar naar boven te gaan. Maar als ze gelach en gepraat daarvandaan hoort komen, holt ze de grote treden op.

In de kleedkamer staan drie meisjes die haar vragend aankijken.

'Ik ben Maddalena, ik moet hier ook komen helpen,' zegt ze vlug.

'Goed zo, wij kunnen wel wat hulp gebruiken,' zegt de grootste van de drie.

De kleedkamer is eigenlijk een zaal die vol staat met tafeltjes en lege kapstokken. Aan alle wanden hangen grote spiegels. Maddalena ziet zichzelf wel tien keer staan en ze moet stiekem lachen. Ze staat hier zomaar in haar nachtpon en op haar pantoffeltjes in een echt paleis! Toch ziet ze er niet veel anders uit dan de meisjes; ze hebben allemaal een lange jurk aan. Maddalena krijgt geen tijd om er verder over na te denken. Ze hoort hoefgetrappel en gekraak van wielen.

'De koetsen!' roepen de meisjes. 'Daar zijn de gasten!' Ze hollen alledrie naar een kant van de kleedkamer en daar blijven ze kaarsrecht staan. Geen van hen praat of lacht nog. Snel gaat Maddalena naar de vierde hoek en ze is precies op tijd want daar komen de eerste gasten de kleedkamer binnen. Het zijn jonge mannen en vrouwen. Ze lijken niet ouder dan de zussen van Maddalena, maar dit zijn vast en zeker allemaal prinsen en prinsessen, want ze zijn zo prachtig gekleed.

De drie helpsters nemen de bonten en zijden mantels van de gasten aan en hangen die aan de kapstok. Maddalena krijgt een hoed in haar handen geduwd. Dus dat is de bedoeling: stuk voor stuk neemt ze de hoeden aan en brengt ze dan naar een van de tafels. Ondertussen kijkt ze haar ogen uit.

Maddalena neemt tien, vijftig, tachtig hoeden aan en nog altijd komen er meer gasten binnen. De kapstokken worden steeds voller. Dan opeens is de drukte voorbij en wordt het rustig. Een paar verlate gasten komen nog aanlopen en daarna niemand meer. Op de kapstokken is nauwelijks een plekje over.

'Goed gewerkt, Maddalena!' zegt de grootste helpster. 'Nu hebben we vrij tot het bal is afgelopen, maar dat zal wel tot twee uur duren. Kun je wel zolang wakker blijven?' Ze wacht niet op antwoord, maar ze loopt met de anderen de kamer uit.

Maddalena wil achter hen aan lopen, maar dan hoort ze gehaaste voetstappen. Er komt nog een gast, helemaal alleen. Deze gast lijkt veel meer op een meisje dan op een vrouw. Ze ziet er ook veel mooier uit dan de anderen. Maddalena komt naar haar toe om haar jas aan te pakken, maar de gast zegt: 'Ben je mal, dat doe ik zelf hoor. Jij kunt er niets aan doen dat ik zo laat ben.' Haar stem klinkt aardig.

De gast loopt naar de spiegel en bekijkt zichzelf. Dan begint ze te lachen: 'Meestal zie ik er niet zo deftig uit, maar ik wilde zo graag naar het bal. Zou de prins me mooi vinden?'

'Ik vind je het mooiste van iedereen,' zegt Maddalena en ze meent het ook.

'Dat heb je lief gezegd.' De gast lacht. Ze geeft Maddalena een zoen boven op haar hoofd. 'Maar nu ga ik snel, want ik kan maar tot twaalf uur blijven.' Dan haast ze zich de kamer uit. Haar hakken klikklakken met een helder geluid op de vloer. Heel kleine voeten heeft het meisje en haar schoenen ... Die schoentjes zijn van glas!

'Assepoester!' roept Maddalena uit.

10. Glazen muiltjes

Nu weet Maddalena waarom hier zo veel prachtig aangeklede gasten komen: vanavond geeft de prins een bal. Op dit dansfeest wil hij een meisje uitzoeken om mee te trouwen.

Vanaf beneden, ergens uit het paleis, hoort Maddalena muziek spelen. Zou het dansen nu al beginnen?

Maddalena snapt zelf niet hoe ze het durft, maar ze loopt de gang in en de trap af in de richting vanwaar ze de muziek hoort komen. Gelukkig maar dat ze haar pantoffels aan heeft, haar voetstappen maken geen geluid in de lange gangen. Niemand hoort of ziet haar en even later is ze bij de balzaal.

Het is een enorme zaal, wel zo groot als een schoolplein. Alle gasten passen erin en ook de dienaren, en nog is er genoeg ruimte over om te dansen. Lakeien staan op wacht, bedienden halen vuile glazen en bordjes weg en zetten nieuwe heerlijkheden neer. Er staan lange rijen met stoelen en daar zitten de gasten in hun mooie pakken en hun prinsessenjurken. Sommigen praten met elkaar, maar de meesten kijken verrukt naar de dansvloer in het midden van de zaal. Daar moet iets bijzonders te zien zijn.

Maddalena loopt tussen de bedienden door alsof ze erbij hoort. Ze pakt een dienblad en daarmee stapt ze naar voren. Ze is hier niet bang dat ze ontdekt wordt, daarvoor is het te vol en te druk. Ze doet net of ze lege glazen gaat ophalen. Op de grond tussen twee stoelen staat een bord. Daar gaat ze op haar hurken zitten en ze kijkt naar wat er op de dansvloer gebeurt.

Er is maar één paar aan het dansen: Assepoester met de prins. Ze zien er zo mooi en lief en ook gelukkig uit, dat Maddalena, net als de andere gasten, ademloos blijft toekijken. Het lijkt wel een sprookje: de prins is verliefd geworden op Assepoester en zij op hem.

Naast zich hoort Maddalena een boze zucht. Een van de gasten buigt zich opzij en fluistert hard: 'Bah, dit kan ik niet uitstaan!'

'Nee, het is niet eerlijk,' zegt de andere gast. 'De prins danst alleen maar met dat ene meisje, terwijl wij er veel mooier uitzien. Laten we iets verzinnen zodat hij ook eens naar ons kijkt, we hebben ons niet voor niets zo uitgesloofd.' Ze staan alletwee op en ze lopen snuivend en met verwaande gezichten naar een tafel met lekkere hapjes.

Dat zijn de boze stiefzusters! Die valse meiden willen de prins van Assepoester afpakken, denkt Maddalena ongerust. Zou ze Assepoester niet kunnen waarschuwen? Ze heeft er geen plezier meer in om toe te kijken. Stilletjes verlaat ze de balzaal en ze loopt terug naar de kleedkamer. Tussen de lange jassen gaat ze op de grond zitten. Het is hier stil en warm en Maddalena voelt zich slaperig worden. Ze kan haar ogen bijna niet openhouden.

'Niet slapen, ik móet tot twaalf uur wakker blijven!' zegt ze tegen zichzelf. Ze staat op van haar lekkere plekje en ze gaat heen en weer lopen in de kleedkamer. De avond lijkt eindeloos lang. Maddalena zingt alle liedjes die ze kent. Ze telt tot vijfhonderd en weer terug tot één en zo lukt het haar om wakker te blijven. Ze hoort een klok de uren slaan: eerst tien, veel later elf en nog steeds is ze niet in slaap gevallen.

Dan begint de klok opnieuw te slaan. Maddalena telt de slagen mee: één, twee … bij drie hoort ze lichte voetstappen razendsnel de trap op hollen. Dat is Assepoester! Buiten adem komt ze de kleedkamer binnen en ze snelt naar de kapstok. Ze grijpt haar mantel en wil meteen weer weghollen. Dan ziet ze Maddalena.

'Het spijt me,'zegt ze, 'maar ik moet om twaalf uur … O, ik kan het niet uitleggen, dag hoor!' Met haar jas in haar armen holt ze naar de trap. Ondertussen blijft de klok verder slaan: zeven … acht … negen …

Maar dan roept Maddalena: 'Assepoester, wacht!' En Assepoester draait zich om: 'Hoe weet jij mijn naam? Wie ben jij?'

'Ik ben Maddalena!'

Op dat moment slaat de klok voor de twaalfde keer en in een flits is de feestkleding van Assepoester verdwenen. Ze staat in haar werkjurkje en op blote voeten op de trap. Vanuit de gang beneden roept een stem: 'Waar is ze? Waar is dat meisje met wie ik danste?'

'Dat is de prins! Hij mag me zo niet zien.' Assepoester wordt bleek en als ze de prins op de trap hoort, holt ze terug naar de kleedkamer.

'Je moet me verstoppen,' zegt ze.

Maar Maddalena zegt: 'Nee, je moet teruggaan naar de prins en tot het einde van het feest met hem

dansen.'

'Dat kan toch niet in deze oude, vuile kleren!' Assepoester ziet eruit of ze zal gaan huilen.

'Als je iemand lief vindt, let je toch niet op zijn kleren!' zegt Maddalena. Ze trekt haar pantoffels uit. 'Hier trek deze maar aan, ze passen vast wel en dan kun je blijven dansen!

'Toch durf ik niet goed!' zegt Assepoester, maar ze luistert wel. Net als ze de sloffen aanheeft, komt de prins de kleedkamer binnenstormen.

'Is hier soms …' begint hij. Dan ziet hij Assepoester en hij begint te lachen. Hij pakt haar bij de hand en hij zegt: 'Waar was je opeens gebleven? Ik was bang dat je al weg was en ik weet niet eens je naam. Kom je met me dansen?' Hij ziet niet eens dat ze nu andere kleren aanheeft.

'Dankjewel Maddalena,' zegt Assepoester. Dan loopt ze met de prins mee naar beneden, naar de balzaal.

Op haar blote voeten sluipt Maddalena de twee achterna. Ze wil weten wat er verder gebeurt, maar als ze ergens onder aan de trap is, beginnen de vleugeltjes aan haar schouders zacht te wapperen. Ze tillen haar op en nemen haar door de poort mee naar buiten. Daar zweeft ze omhoog en in de donkere nacht vliegt ze rechtstreeks naar huis.

11. Vier sterretjes

Maddalena weet de volgende morgen niet goed meer hoe ze is thuisgekomen. Ze was zo moe dat ze meteen in bed is gekropen en ze moet direct in slaap gevallen zijn. Het is nog vroeg, maar toch voelt ze zich helemaal uitgerust. Dat komt zeker door haar droom.

In haar droom danste zij zelf met de prins. Ze draaide en draaide in het rond op de maat van de muziek; het was net zo heerlijk als vliegen.

Dan herinnert ze zich wat ze echt heeft meegemaakt op het bal en dat is nog veel leuker: het is haar gelukt om wakker te blijven!

Maddalena springt uit bed en ze pakt haar lijst: WAAROM IK KWAAD BEN staat erop. Daar moet ze hard om lachen. Er klopt niets van, ze is juist heel tevreden over zichzelf.

Met een gele viltstift tekent ze een sterretje bij: *2 Ik mag nooit laat opblijven* en bij: *6 Ik mag nooit zelf op de tijd letten*. Misschien mag ze dat niet, maar ze heeft wel laten zien dat ze het kan!

Trouwens, gisteren bij de geitjes is het ook prima gegaan, dus ze kan een derde sterretje zetten bij: *8 Ik mag nooit oppassen op kleintjes*. En dan weet ze er meteen nog één. Bij: *4 Ik mag nooit spannende dingen zien* tekent ze sterretje nummer vier. Een echte wolf is toch zeker veel spannender dan een film!

Trots bekijkt Maddalena de vier verdiende sterretjes. Wie durft nu nog te zeggen dat zij een kleintje is!

Ze heeft een goed idee: vandaag is het zondag dus de grote zussen zullen wel lang uitslapen. Zij zal hen eens verrassen. Ze zal stiekem naar beneden gaan om de tafel te dekken en alvast de ontbijtspullen klaar te zetten. Als die slaapkoppen dan uit hun bed komen, zullen ze eens zien wat hun zogenaamde kleine zus allemaal in haar eentje kan!

Maddalena duikt onder haar bed om haar pantoffels te pakken. Terwijl ze dat doet, weet ze weer dat die daar niet zullen staan. Haar pantoffels zijn nu bij Assepoester. Maar, wat zijn dan die twee dingen die daar op de stoffige vloer onder haar bed liggen? Nee toch, dat zullen toch niet ... Haar hart maakt een sprongetje als ze begrijpt wat het zijn: de vleugeltjes. Die heeft ze vannacht toen ze thuiskwam niet opgeborgen, maar op de grond laten vallen. Gelukkig maar dat niemand ze gezien heeft, anders was het nu geen geheim meer.

Maddalena vist ze onder het bed vandaan en dan schrikt ze zich naar. De vleugeltjes zijn een stuk kleiner geworden, dat is duidelijk te zien. Ze krimpen elke keer als je ermee vliegt. Zouden zulke kleine vleugeltjes haar nog wel kunnen dragen?

Maddalena denkt niet meer aan naar beneden gaan of ontbijt klaarmaken. Ze schuift de vleugeltjes over haar armen en ze gaat rechtop staan, maar er gebeurt niets. Ook niet als ze springt en huppelt en danst om ze aan de gang te krijgen.

Even twijfelt ze weer: is het wel echt gebeurd, de

middag bij de geitjes en de lange avond in het paleis? Of heeft ze het allemaal gedroomd, net zoals het dansen met de prins?

Ze kijkt uit het raam. Het is winderig buiten. De bomen zwiepen heen en weer en grote, grijze wolken jagen door de lucht. Als Maddalena het raam nog wijder openzet, vliegen een heleboel dansende boomblaadjes naar binnen.

Dat wil ik ook! denkt Maddalena. Het zal me lukken! Ze klimt op de vensterbank en als er weer zo'n harde windvlaag komt, spreidt ze haar armen en begint ze te klapwieken. Tegelijkertijd komen de vleugeltjes in beweging. Als een wervelwind wordt ze mee de lucht in gezogen. Omhoog gaat ze en nog hoger tot ze boven de wolken is en dan vliegt ze.

Hier heeft ze de wind niet meer nodig. De vleugeltjes zijn sterk genoeg om haar mee te voeren.

Waar die haar naartoe brengen, kan Maddalena niet zien. De wolkenlaag onder haar is een dikke, donzen deken die alles afdekt, maar boven haar is de zon die haar verwarmt. Ze doet haar ogen dicht en laat zich drijven tot de vleugeltjes het genoeg vinden. Dan daalt ze heel rustig en komt ze op haar blote voeten in het gras terecht.

12. Baby Roosje

Waar is ze nou terechtgekomen? Het lijkt hier nergens op: er groeit gras, maar het is geen weiland en er staan wel bomen, maar een bos is het ook niet. En er zijn helemaal geen huizen, zo ver als ze kijken kan.

Maddalena rilt. Het gras is vochtig onder haar blote voeten en de wind waait dwars door haar dunne nacht-pon. Hier kan ze niet blijven, maar waar moet ze heen? Welke kant moet ze op?

Bij de volgende rukwind heeft ze de oplossing. Ze gaat met haar rug naar die sterke wind toe staan en ze laat zich gewoon duwen. Dat is een grappig spelletje en ze gaat zo snel vooruit dat ze vanzelf warm wordt. Ze holt en holt en opeens is er onder haar voeten geen gras meer, maar zand en stenen. Hier loopt een weg! Een weg leidt altijd ergens naartoe.

'Bedankt, dat heb je goed gedaan!' roept ze vrolijk naar de wind achter haar. Dan kijkt ze naar links en naar rechts. Welke kant zal ze kiezen? Dat hoeft niet eens, want in de verte komt in een grote stofwolk iets aanrijden. De stofwolk komt dichterbij en Maddalena hoort hoefgetrappel en het geratel van wielen: het is een paard met daarachter een wagen en op die wagen zit een man.

'Ho!' roept de man, als hij Maddalena ziet staan. Hij trekt aan de teugels van het paard. 'Jij moet zeker ook naar het kasteel,' zegt hij. Het is geen vraag, want zonder op antwoord te wachten wijst hij op zijn wagen en zegt: 'Klim er maar op, dan ben je er sneller!' Hij wacht tot ze achterin geklauterd is, dan roept hij: 'Ju!' en het paard begint weer te draven.

Dus ze gaat naar een kasteel! Terwijl de wagen hotsend en botsend verder rijdt, wurmt Maddalena zich tussen de manden en zakken waarmee de wagen is volgeladen. En nog voordat ze het ziet, ruikt ze wat daarin zit. Broden zijn het, grote ronde en kleine langwerpige, broden met zaadjes en pitjes en noten. Ze zijn nog warm van de oven en Maddalena zit daartussen. Na een tijdje houdt ze het niet meer uit. In dat kasteel hebben ze vast wel genoeg andere dingen om te eten, bedenkt ze. Ze pakt een van de broodjes en ze eet het achterelkaar op. En het smaakt ... nog nooit heeft ze zoiets geproefd, verrukkelijk. Juist als ze zich afvraagt hoelang haar rit zal duren en of ze nog een broodje zal pakken, staat de kar met een ruk stil.

'Uitstappen, je bent er!' roept de man.

Maddalena springt uit de wagen. Ze is aangekomen op een grote binnenplaats. Van het kasteel ziet ze alleen de hoge, stenen muren en hoog daarboven de torens. Zeven torens zijn het en op elk daarvan staat een vlag vrolijk te wapperen in de wind.

Er staan al meer wagens op de binnenplaats en er komen ook nog andere aanrijden. Zo gauw ze stilstaan, hollen er mensen naartoe, mannen, vrouwen en kinderen, die de wagens uitladen: grote, ronde kazen, enorme hammen, manden met appels en peren en tonnen waar met grote letters bier en wijn op staat.

'Hallo!' roept de man die haar heeft laten meerijden. 'Niet dromen, maar aanpakken!' Maddalena krijgt een van de zakken in haar handen geduwd en net als de andere mensen loopt ze naar binnen. In de keuken staat een vrouw die aanwijst waar alles neergelegd moeten worden. Anna noemen de mensen haar. Als Anna Maddalena ziet aankomen, zegt ze verschrikt: 'Kind toch, zomaar op je blote voeten! Zo kun je toch niet werken. Wacht even, ik heb wel iets voor je.' Ze loopt naar een kast en komt terug met een paar laarzen. 'Hier trek deze maar aan.'

De laarzen zijn te groot, maar toch is Maddalena nu sneller. Af en aan loopt ze met schalen en dozen vol heerlijkheden. De lege wagens rijden weg, maar er komen telkens weer andere aanrijden. Er moeten wel enorm veel mensen in het kasteel wonen.

Dan roept iemand: 'De taart, de bakker met de taart is er!' Alle mensen stoppen met hun werk, zelfs Anna komt aanlopen. Ze gaan om de wagen heen staan en als de taart wordt uitgeladen, klappen ze in hun handen en ze roepen: 'Nu kan het feest beginnen!'

Wat ze te zien krijgen, is werkelijk een kunstwerk. De ronde, roze taart is zo groot als een tafel, hij is zeven lagen hoog en versierd met honderden kleine, rode roosjes van suikergoed. Vier mannen zijn nodig om de plank met de taart naar binnen te dragen. Dan werkt iedereen weer door tot alle wagens leeg zijn. Maddalena doet even hard mee.

'Wat is het eigenlijk voor feest?' vraagt Maddalena, als ze de laatste doos met lekkernijen binnenbrengt.

'Kind, weet je dat niet?' Hoofdschuddend kijkt

Anna haar aan. 'Het is voor ons nieuwe prinsesje! De koningin heeft eindelijk een kindje gekregen. Vandaag is het doopfeest voor de kleine Roosje, daarom hebben we het allemaal zo druk. Alle edelen uit het hele land zijn uitgenodigd voor de feestmaaltijd. Bijna tweehonderdvijftig zijn dat er. En de twaalf feeën, natuurlijk. Zij zijn het belangrijkste, want zij moeten de goede wensen doen.

'Twaalf feeën?' Maddalena probeert te bedenken waar ze dat eerder heeft gehoord. 'Precies twaalf?'

Anna kijkt opzij of er niemand is die meeluistert, dan buigt ze zich voorover naar Maddalena en ze fluistert: 'Eigenlijk zijn het er dertien en de koningin wilde ze allemaal uitnodigen, maar er zijn niet meer dan twaalf gouden borden en een fee kan natuurlijk niet van een gewoon bord eten. Daarom heeft de koning besloten dat de oudste fee niet mag komen. Zij is niet uitgenodigd.' Anna zucht.

'Kom, genoeg gepraat. Begin maar met dit af te wassen en daarna kun je de kleine broodjes erop leggen. Ze zet een stapel grote schalen voor Maddalena neer en dan loopt ze weg om de anderen aan het werk te zetten.

13. De dertiende fee

Maddalena werkt hard. Ze wrijft de zilveren schalen op tot ze glanzen als spiegels en daarna stalt ze er de broodjes op uit. Ze maakt er mooie torens van. Ondertussen denkt ze aan wat Anna verteld heeft: twaalf wensen voor baby Roosje en een dertiende fee.

En nu ineens weet ze weer waarom dat haar zo bekend voorkomt. Dat prinsesje is Doornroosje! Maddalena holt naar Anna toe.

'Anna, die laatste fee moet ook komen, dat is belangrijk!'

'Kind, wat weet jij daarvan?' zegt Anna. 'Hoe heet jij eigenlijk?'

Maddalena stampt ongeduldig met haar voeten: 'Ik ben Maddalena, maar luister nou Anna, jij kunt toch tegen de koning zeggen dat hij die oudste fee ook moet uitnodigen! Anders gaat alles mis, echt waar.'

Anna kijkt naar Maddalena's opgewonden gezicht.

'Moet je horen Maddalena, níemand kan tegen een koning zeggen wat hij moet doen. Trouwens, alles staat al klaar, kom maar eens kijken!' Ze pakt Maddalena bij de hand en ze neemt haar mee. Ze lopen een gang door en dan komen ze in de eetzaal. 'Kijk, zie je het nu?'

De eetzaal is prachtig versierd. Slingers van rozen in alle kleuren hangen langs de wanden en in elke hoek staat ook een enorme vaas vol rozen. Lange rijen tafels staan klaar om bijna tweehonderdvijftig mensen een feestmaal te geven. De voorste tafel, vlak bij de troon van de koning en de koningin, is het grootst en ook het rijkst versierd. Daarop staan de twaalf gouden borden te schitteren als sterren.

'Zie je wel!' zegt Anna weer. 'Je kunt hier toch niet een gewoon bord tussen zetten, dat past niet bij een fee.'

Maddalena snapt het wel, toch aarzelt ze nog. Maar nu wordt Anna ongeduldig.

'We moeten terug naar de keuken,' zegt ze, 'anders zijn we niet klaar als het begint.' Even later staat Maddalena weer af te wassen en broodjes te stapelen, vijf schalen, acht schalen, twaalf schalen ... ze raakt de tel kwijt. Telkens als ze een schaal droogwrijft, ziet ze haar eigen bezorgde gezicht weerspiegeld in het glanzende zilver. Daardoor krijgt ze een idee.

Ze wacht tot Anna even niet op haar let en dan pakt ze een van de zilveren schalen. Daarmee sluipt ze naar de eetzaal, naar de voorste tafel. Ze schuift de borden alle twaalf een stukje opzij, zodat er helemaal recht voor de troon nog een dertiende plaats vrij komt. Daar zet ze de zilveren schaal neer. Met een mes snijdt ze dertien mooie, kleine rozen af en die legt ze in een krans op de rand van het bord. Terwijl ze daar nog mee bezig is, komt Anna binnenhollen.

'Maddalena, hier ben je dus! Dat dacht ik al. Nu heb ik spijt dat ik je de eetzaal heb laten zien! Wat ben je aan het doen?'

Maar Maddalena krijgt geen tijd om het uit te leggen. Er klinkt geschal van een trompet, trommels beginnen te roffelen en aan de andere kant van de eetzaal gaan de grote deuren langzaam open. De lakeien komen binnen om de gasten hun plaats te wijzen.

'Kom, aan het werk!' zegt Anna. Ze loopt op een holletje terug naar de keuken, maar Maddalena gaat niet met haar mee. Snel verbergt ze zich achter een van de vazen en ze is maar net op tijd, want de gasten komen al binnen.

Bijna tweehonderdvijftig feestelijk aangeklede edelen komen de eetzaal binnen en gaan zitten aan de lange tafels. Ze praten en lachen, ze begroeten elkaar en ze roepen hoe mooi alles eruitziet. Door de andere deur komen de bedienden aanlopen met de schalen eten en de kannen drinken, achter elkaar in een lange rij: broodjes, kaas, ham, wijn, bier, al het lekkers. Als laatste wordt de taart binnengedragen. Anna is er ook bij. Zij wijst de plek aan waar die moet worden neergezet.

En dan is het klaar. Een lakei stampt drie keer met een stok op de grond en het wordt muisstil in de zaal. Weer gaan de deuren open. Nu komen de twaalf feeën de zaal binnen. Een lakei brengt hen naar hun plaats aan de tafel. En dan, eindelijk, komen ook de koning en de koningin die de kleine prinses in haar armen heeft. Er gaat een zucht door de zaal: 'Wat is ze lief, wat is ze mooi.'

Als de koning en de koningin op hun troon zitten, gaan de feeën een voor een naar de prinses toe en ze spreken hun wensen uit: ze wordt lief, ze wordt mooi, ze wordt slim, ze wordt rijk ... Vanaf haar plaatsje achter de rozen kan Maddalena het allemaal zien.

Elf feeën hebben hun wens al uitgesproken, als plotseling de grote deur wordt opengesmeten.

'Dus ík mag hier niet bij zijn!' klinkt een woedende stem. Een oude fee komt als een wervelwind binnenlopen. Ze zwaait met haar toverstaf en haar ogen schieten vuur. Ze ziet er angstaanjagend uit. Alle aanwezigen zijn verstijfd van schrik.

De boze fee loopt rechtstreeks naar de koning.

'Ik wil ook mijn wens voor het prinsesje uitspreken!' zegt ze. 'Maar een goede wens zal dat niet zijn! Want waarom ben ík niet uitgenodigd? Waarom is er geen plaats voor mij?' Ze wijst naar de tafel waarop de twaalf gouden borden staan.

Nú, denkt Maddalena, nu kan het nog goedkomen. Met een sprong komt ze vanachter de vaas rozen vandaan en ze roept zo hard mogelijk:

'Niemand is u vergeten, kijk maar, het mooiste bord dat klaarstaat, is voor u bedoeld.'

'Is dat zo?' Als de fee de glanzende, zilveren schaal met de rozenknopjes ziet, verandert haar hele gezicht. Ze pakt een van de kleine roosjes van het bord en legt dat neer op het jurkje van het prinsesje.

'Dan wens ik prinses Roosje geluk in haar hele lange leven!'

Nu beginnen alle mensen te klappen, ze houden hun glazen omhoog, ze proosten, ze zingen. Niemand hoort nog wat de laatste fee wenst. De koning schuift snel zijn troon naar de plaats van de oudste fee. Iedereen lijkt wel dol geworden, alleen de koningin niet.

'Wie was dat meisje?' vraagt ze, 'Hoe heet zij?'

Anna duwt Maddalena naar voren. 'Dit is Maddalena!' zegt ze 'Ze is niet groot, maar ze kan veel meer dan je zou geloven!'

'Maddalena!' fluisteren de gasten en dan zeggen ze het hardop: 'Maddalena! Zij heeft het prinsesje gered!'

De koning en de koningin bedanken Maddalena telkens weer. 'Wil jij onze gast zijn?' vragen ze. Dan wordt er voor haar ook een stoel aangeschoven. Anna haalt zelf een extra bord uit de keuken. 'Een gewoon bord voor een bijzondere gast!' zegt ze, als ze het neerzet.

Tijdens het feestmaal zit Maddalena aan tafel tussen de feeën. Ze eet net zo deftig als de andere gasten en allemaal zijn ze lief tegen haar.

Als ook de taart is opgegeten, is het feestmaal afgelopen. Alle gasten vertrekken en Maddalena mag door de grote poort mee naar buiten om de feeën uit te zwaaien.

Het waait nog steeds. De koningin houdt het prinsesje dicht tegen zich aan om haar te beschermen tegen de harde wind.

'Kom je met me mee naar binnen?' vraagt ze, maar voordat Maddalena antwoord kan geven, tilt een rukwind haar op en voor ze nog iets kan zeggen of uitleggen vliegt ze omhoog, weg van het kasteel.

14. Onder de wolken

Maddalena moet wel even wennen, haar vertrek was zo onverwachts. Ze heeft niet eens afscheid kunnen nemen van Anna. Het zou zo leuk zijn geweest om nog een tijdje bij baby Roosje en haar moeder te blijven. Maar ze ziet zo veel dat ze algauw weer volop kan genieten van haar vliegtocht.

Het grappige is dat ze nu niet boven, maar onder de wolken vliegt. Ze gaat helemaal niet snel, daardoor kan ze alles goed bekijken.

Vanuit de lucht lijkt het kasteel lang zo groot niet, het is een speelgoedkasteel geworden. De rozenstruiken eromheen zijn felrode kralen in het groen van de blaadjes. Steeds verder vliegt Maddalena ervandaan tot het nog maar een stipje is in de verte en dan verdwijnt het helemaal. Ze ziet nog wel de weg die vanaf het kasteel door de velden naar een dorp ver weg leidt. Misschien is dat wel de weg waarover ze vanmorgen gereden heeft in de bakkerskar. Het veld met die kleine groepjes bomen daar verderop is dan de plek waar ze is geland.

Het is grappig dat ze zo veel kan zien. Nu komt ze over een groot en donker bos. De bomen staan zo dicht opeen dat het net een groene zee is. Er is in de golven geen opening waar ze doorheen kan kijken. Of toch wel: op één plek staan de bomen wijder uit elkaar, daar schemert iets roods tussen het groen. Er klinkt ook vrolijk gelach en geroep daarvandaan.

Maddalena raadt al wat het is: het huis van de zeven geitjes! Die kunnen nu lekker buiten spelen; de wolf zal niet vlug meer hun kant op komen.

'Joehoe!' roept Maddalena, maar ze krijgt geen antwoord van beneden. Alleen een vogel vlak bij haar schreeuwt verschrikt: 'Kaaa!' en dan vliegt hij snel omhoog.

Over weer een ander bos zweeft Maddalena, net zo dicht en donker is het als dat van de geitjes. Zou daar misschien Roodkapje lopen met het mandje lekkers voor haar grootmoeder? Of is dat het bos waar Hans en Grietje in verdwaald zijn? En achter die bergen in de verte, zou daar het huis van de zeven dwergen zijn?

Maddalena schommelt heen en weer in de lucht en ze lacht hardop. De hele wereld zit vol verhalen: ze kent er al heel wat, maar er zijn er ook nog zo veel die ze nog moet ontdekken.

De vliegtocht duurt lang vandaag, veel langer dan de andere keren. De wind is wat gaan liggen en het is lekker warm aan het worden. Maddalena krijgt zin om nog een hele tijd zo door te gaan. Maar dat zal niet lukken, want zo langzamerhand keert ze terug in de bewoonde wereld. Daar ziet ze de stad met de hoge flats en de kerktorens. Ze is al boven het park waar ze op zondag vaak gaat wandelen. Zo meteen is ze weer thuis.

Zover komt Maddalena niet: opeens gebeurt er iets onverwachts. De vleugeltjes houden op met bewegen, ze vliegt niet meer. Eén moment is ze bang dat ze te pletter zal vallen, maar gelukkig waait het nog een

beetje. Ze wordt opgevangen door een windvlaag. Als een afgevallen boomblaadje dwarrelt ze naar beneden en zachtjes komt ze op de aarde neer.

Oef, dat was schrikken! Ze heeft geluk dat ze hier in het park op het gras terechtgekomen is en niet op de straat. Dan zou ze een behoorlijke smak gemaakt hebben. Ze krabbelt overeind en veegt de grassprietjes van haar benen en haar nachtpon. Nu moet ze maar snel naar huis gaan, want vanaf het park is dat nog een heel eind lopen.

Het is fijn dat ze de laarzen van Anna nog heeft, al zou het nu beter zijn om de zevenmijlslaarzen van Klein Duimpje te dragen. Daarmee zou ze in zeven stappen thuis zijn.

Maddalena doet haar ogen dicht en ze telt: één, twee, drie, tot ze zeven grote stappen heeft gezet. Nog voor ze haar ogen open heeft gedaan hoort ze haar naam roepen: 'Leentje!' met drie stemmen tegelijk. Zes armen worden om haar heen geslagen, ze wordt opgetild, gekust en geknuffeld. Annamarie, Bernadette en Charlotte dansen met haar in het rond: 'Lieve Leentje!'

'Heel even denkt Maddalena dat ze echt in zeven stappen thuis is gekomen. Ze duwt haar zussen opzij en ze kijkt tussen alle armen door. Ze ziet dat ze nog steeds in het park is.

15. Maddalena

Even later zit Maddalena achter op de fiets van Charlotte. Ze heeft de warme trui van Bernadette aan en Annamarie fietst vlak achter haar om te kijken of alles goed gaat. Als ze thuiskomen, nemen ze haar tussen zich in mee naar binnen. De tafel is feestelijk gedekt. Maddalena moet gaan zitten. Ze krijgt iets warms te drinken en ze zetten allerlei heerlijks voor haar neer. Maddalena laat zich lekker verwennen, ze voelt zich net een prinses.

'Wat deden jullie eigenlijk in het park?' vraagt ze dan.

'Jou zoeken natuurlijk, gekkie! We waren zo vreselijk ongerust, we hebben de hele stad rondgefietst! We wisten ons geen raad!' Annamarie geeft haar weer een knuffel. 'Wat ben ik blij dat we eraan dachten om ook in het park te gaan kijken! Stel je voor dat we je kwijt zouden zijn. Ik moet er niet aan denken! We zijn echt alledrie stapelgek op ons kleine zusje'

'Kwijtraken?' Maddalena begrijpt er niets van.

Haar zussen beginnen alledrie tegelijk te praten.

'We werden wakker,' zegt Annamarie, 'en we dachten dat jij nog sliep,' vervolgt Bernadette, 'en toen gingen we de ontbijttafel klaarmaken!' vult Charlotte aan.

'Toen we jou wakker wilden maken, was je niet in je kamer, maar we vonden wel die lijst. En toen we die gelezen hadden, zijn we je meteen gaan zoeken.'

'Jullie dachten dus dat ik weggelopen was, nu snap ik het!' giechelt Maddalena. 'Ik heb iets heel anders gedaan, wacht, dan zal ik het jullie laten zien.' Terwijl haar zussen verbaasd toekijken, trekt ze de trui van Bernadette uit en ze wijst op de oranjerode vleugeltjes.

'Kijk, hiermee ben ik weggevlogen naar ...'

'Gevlogen?' Haar zussen laten haar niet uitpraten, ze lachen: 'Heb je gevlogen met die twee lapjes? Wat kun jij mooie verhalen verzinnen!'

'Ik verzin niks, het is echt waar!' roept Maddalena. Ze schuift de vleugeltjes van haar armen naar beneden en dan ziet ze wat haar zussen bedoelen. De vleugeltjes zijn heel klein.

Hebben ze gelijk? denkt Maddalena. Heb ik gevlogen of heb ik het allemaal verzonnen? Ze kan het nu zelf ook niet meer geloven. Ze krijgt een koud gevoel in haar buik. Ze springt van haar stoel en ze holt de kamer uit, rechtdoor naar haar slaapkamer. Ze wil in bed gaan liggen, diep onder de dekens en nergens meer aan denken.

Maar als ze haar laarzen uittrekt, moet ze vanzelf aan Anna denken en er begint iets te kriebelen in haar keel. In plaats van verdrietig te zijn wordt ze ineens heel vrolijk. Ik kan echt veel meer dan je zou geloven! denkt ze. Anna heeft dat goed gezegd.

Ze gaat op haar bed zitten en ze legt de vleugeltjes voor zich neer. Ze aait over de zachte veertjes. Zolang kijkt ze ernaar dat de oranjerode kleur voor haar ogen schemert. Dan doet ze haar ogen dicht en ze denkt aan haar lijst, aan alle punten die ze daarop heeft geschreven. En nu lacht ze hardop. Al die dingen, alles wat ze nooit mocht, heeft ze toch gedaan. Ze heeft die vleugeltjes niet meer nodig.

En als ze toch nog een keer ergens naartoe wil ... Maddalena weet nog niet precies wat ze dan zal doen, maar ze bedenkt wel wat.

Ze pakt de twee vleugeltjes en gaat daarmee naar het open raam. Ze buigt zich ver voorover en legt de vleugeltjes terug waar ze die gevonden heeft, in de dakgoot. Op dat moment gaat de kamerdeur open en Bernadette komt binnenlopen met Charlotte en Annamarie achter zich aan. Ze gaan bij Maddalena staan.

'Leentje,' zegt Charlotte, 'probeer nou niet langer boos te zijn. We willen graag dat je beneden komt, zonder jou is het helemaal niet gezellig ...' maar Bernadette onderbreekt haar:

'Kijk daar eens, wat is dat nou?' Ze wijst naar buiten. Er vliegt iets voorbij het raam naar omhoog. Het is pluizig en donzig en heel klein en het is oranjerood van kleur.

Met z'n vieren staan ze voor het raam en ademloos kijken ze het na tot het is verdwenen in het blauw van de lucht.

'Wat prachtig!' zucht Annamarie. 'Ik wist niet dat er zulke mooie vogels bestonden!'

Maddalena kijkt in de dakgoot. De vleugeltjes liggen er niet meer. Ze lacht. Dan keert ze zich om naar haar zussen.

'Ik wist het wel,' zegt ze. 'Ik weet veel meer dan jullie ooit zouden geloven. En natuurlijk ga ik met jul-

lie mee naar beneden, maar jullie moeten nu toch eens
één ding onthouden:

IK HEET MADDALENA!'